D0708286

Knaagtandje

Voor Renée, Ellen en Peter

Margriet de Graaf

met illustraties van Hester van de Grift

Wil je meer weten over Margriet de Graaf en de boeken die ze geschreven heeft, kijk dan op http://cas.et.tudelft.nl/~simon/margriet/

Postbus 5018, 8260 GA Kampen
www.kok.nl

Illustraties omslag en binnenwerk Hester van de Grift
Omslagontwerp Hendriks.net
Layout/dtp Gerard de Groot
ISBN 978 90 266 1498 9
NUR 281/282
AVI 3/4, M4
Leeftijd 6+

Inhoud

1. Wat ligt daar?

De school is uit.
Roos holt over de stoep.
Samen met Noa.
Ze rennen de hoek om.
Daar is het huis van Roos.
In het midden van de straat.
'Poe,' zegt Noa.
'Ik wil niet meer rennen.'
Ze veegt over haar voorhoofd.
'Ik ben er warm van.'
Noa gaat langzaam lopen.
Roos houdt haar pas in.
'En ik heb zó'n dorst,' zegt ze.
'Ik lust wel een bad vol fris.'

Roos stopt op de stoep bij haar huis.
Noa duwt het tuinhek open.
Maar Roos loopt niet mee.
'Hé,' zegt ze.
'Wat is dat?'
Roos bukt bij de stoeprand.
Er ligt iets grijs.

Met een lange staart.
Is dat een dode muis?
Nee, dat kan niet.
Een muis heeft geen rood mutsje.
En ook geen blauw broekje.
Noa draait zich om.
'Wat is er?'
Roos pakt het muisje op.
'Bah,' zegt Noa.
'Je moet niks van de straat oprapen.'

'Kijk dan,' zegt Roos.
'Wat een leuk beestje.

Hij is maar een beetje vies.
Dat geeft niets.
Ik stop hem gewoon in bad.
Die knuffel hou ik.'
Noa trekt haar neus op.
'Hij is wel leuk.
Maar hij ruikt vies.'
'Je lijkt net mijn moeder,' zegt Roos.
'Niks tegen haar zeggen, hoor.'
Ze propt de muis vlug
in haar tas.

2. Dorst als een reus

Roos drukt op de bel.
'Ha,' zegt mama.
Ze zwaait de deur open.
'Daar zijn jullie.
Kom maar gauw.
Ik heb drinken klaarstaan.'
'Lekker,' zegt Noa.
'Een bad vol?' vraagt Roos.
'Ik heb dorst als een reus.'
Mama lacht.
'Dat zie ik.
Je hebt er een kleur van.'
Klok-klok-klok.
In één lange teug drinkt Roos
haar glas leeg.
Ze veegt langs haar mond.
'Mag ik nog een glas?'
Mama lacht.
'Een glas met water.'
Roos trekt haar schouders op.
Ook goed.
Als haar dorst maar overgaat.

Ze kijkt naar Noa.
Noa doet heel lang met één glas.
In dezelfde tijd drinkt zij
twee glazen leeg.
Roos wipt van de bank.
'Ga je mee naar boven?'
'Wat?' zegt mama.
'Binnen spelen met dit mooie weer?'
'Even maar,' zegt Roos.
Ze trekt Noa mee naar de trap.
Gauw.
Straks vraagt mama wat ze gaan doen.

3. Knaagtandje

Roos loopt naar de badkamer.
Ze ritst haar tas open.
Het muisje plukt ze eruit.
'Zo, jij gaat in bad.'
Ze zwaait de knuffel heen en weer.
Vlak voor Noa.
Noa knijpt haar neus dicht.
'Hij stinkt.'
Roos steekt haar tong uit.
'Straks niet meer.'
Ze zet de muis in de wastafel.
Zo, nu de stop erin.
De warme kraan laten stromen.
Een scheut badschuim erbij.
Mm, dat ruikt lekker.

Oei!
Roos draait vlug de kraan dicht.
Schuim borrelt over de rand
van de wastafel.
Ze duwt tegen de vlokken.
Haar armen worden helemaal wit.

Noa lacht.
'Je lijkt net een sneeuwpop.'
Roos klapt in haar handen.
Het schuim vliegt alle kanten op.
Ze pakt nog een handvol.
'Het sneeuwt!' roept ze.
Ze gooit het schuim omhoog.
'Het sneeuwt in de zomer.'

'Roos, Noa!' roept mama.
'Het is veel te mooi weer
om binnen te spelen.'
Verschrikt kijken Roos en Noa elkaar aan.
'We komen zo,' roept Roos.
'Vlug, opruimen,' zegt ze tegen Noa.
Ze voelt in de wasbak.
Waar is de muis gebleven?
Hebbes, daar voelt ze iets zachts.
Ze boent de knuffel af.
'Nu ben je wel schoon,' zegt ze.
'Hier is een handdoek,' zegt Noa.
Roos duwt de muis erin.
'Hou jij hem vast?
Dan haal ik de stop eruit.'
Ze graait onder het sop.
Daar is het kettinkje.
Floep.

De afvoer slurpt het water weg.
Hoe kan dat?
Het sop gaat niet mee.
Roos blaast ertegen.
Er waaien vlokjes schuim
tegen de spiegel.
Noa lacht.
'Je moet de kraan aandoen.'
Dat helpt.
Het schuim glijdt naar beneden.
Noa zet de muis op de verwarming.
Ze wrijft met de handdoek
over de spiegel.
'Laat maar,' zegt Roos.
Ze pakt de muis.
'Zo is het netjes genoeg.'
'Gaan we nu buiten spelen?' vraagt Noa.
'Wacht,' zegt Roos.
Ik breng de muis naar mijn kamer.'
Ze zet hem voor het raam.
'Zo schijnt de zon jou droog,' zegt ze.
Ze trekt het mutsje recht.
'Hij is best schattig,' zegt Noa.
'Met die twee tandjes.'
'Ik geef hem een naam,' zegt Roos.
'Even denken.
Eh... Ja, ik weet het: Knaagtandje.'

De hele middag spelen Roos
en Noa buiten.
Ze doen verstoppertje.
Ze spelen in het speeltuintje.
En tekenen met stoepkrijt.
Totdat de moeder van Noa
haar komt halen.

Ze kijkt op de klok
boven op het dak.
Cool, ze heeft nog een kwartier.
Roos glijdt van de fiets.
Ze slaat haar armen om mama heen.
'Doei!'
Mama drukt een kus op haar voorhoofd.
'Doe je best op school, hè?'
Roos lacht een scheef lachje.
'Túúrlijk.'
'Tot vanmiddag, Roos.'
Mama stapt weer op haar fiets.
En Roos loopt het schoolplein op.
Er zijn nog maar een paar kinderen.
Wat zal ze gaan doen?
Duikelen?
Ja, daar heeft ze zin in.

Het is een leuke dag.
Stijn houdt zijn spreekbeurt.
Hij vertelt over bijen.
Zijn vader is imker.
Iedereen mag honing proeven.
Dat hebben de bijen gemaakt.
Roos luistert goed.
Wauw, wat zijn bijen knap.

's Middags mogen ze tekenen.
'Teken je liefste dier,' zegt de juf.
Roos kijkt naar Noa.
'Ik ga Knaagtandje tekenen.'
'Huh?'
'Je weet wel,' zegt Roos.
'Dat muisje van de straat.'
Noa geeft Roos een duwtje.
'Dat is toch een knuffel?'
'Nou en?
Het is óók een dier.'

Mama niet en ook die peuter niet.
Langzaam loopt ze de trap af.
Haar hart bonkt in haar keel.
Ze voelt een koude rilling over haar rug.

De tuindeur staat open.
Mama zit buiten.
'Kijk eens,' zegt ze.

'Ik heb een eierkoek voor je.'
Roos neemt een hap.
Wat raar.
De koek proeft niet zo lekker
als anders.

Stilletjes kijkt ze naar mama
in haar ligstoel.
Haar ogen zijn dicht.
Slaapt ze?
Opeens gaan haar ogen open.
Ze lacht naar Roos.
'Ik vóélde gewoon dat je naar me keek.'
Ze gaat overeind zitten.
'Wat ben je stil, Roos.
Is er iets?'
Roos haalt haar schouders op.
'Ik ben alleen een beetje moe.'
Ze draait zich naar de zon.
En ze doet haar ogen dicht.
Zo kan mama haar ogen niet lezen.
Mama ziet altijd gelijk of ze verdrietig is.
Of boos of wat ook.
Soms is dat fijn.
Maar nu is dat vervelend.
Ze hoort mama zuchten.
Roos gluurt tussen haar wimpers door.

Mama kijkt naar haar.
Met een rimpel op haar voorhoofd.
Nou, laat mama maar piekeren.
Ze zegt toch lekker niks.

9. Alleen hinkelen is saai!

Roos zit met haar ogen dicht.
Ze ziet het jongetje weer voor zich.
Hij huilt en roept.
Roos schudt met haar hoofd.
Brrr.
Ze wil die film in haar hoofd niet zien.
Ze laat zich van haar stoel glijden.
'Zo, ik ben wel weer uitgerust.'
Mama lacht.
'Dat is vlug.'
'Ik ga verder krijten.
Noa en ik hebben een hinkelbaan gemaakt.
Er moeten nog cijfers bij.'
Ze loopt naar de schuur.
Daar staat de emmer met stoepkrijt.

Onder het krijten kijkt Roos op.
Roept dat jongetje?
Hoe heette hij ook alweer?
Luuk of zoiets?
Nee, het is een ander kind.
Roos kijkt omhoog naar haar raam.

Hé, waar is Knaagtandje gebleven?
Ze slaat zich tegen haar voorhoofd.
'Dompie,' mompelt ze.
'Die had ik toch verstopt?'
Ze bukt om een cijfer te schrijven.
Een grote tien in het laatste vak.
Klaar, ze kan gaan hinkelen.
Op één been springt ze
in het eerste vak.
En spreidt...
Haar linkerbeen op de twee.
Haar rechterbeen op de drie.
Poe-hee!
Het is veel te warm
om zo te springen.
En alléén springen is saai!
Stom dat Noa nu naar de tandarts moet.

'Roos?'
Dat roept mama.
Roos loopt naar huis.
Mama heeft toch niet...
'Hé, Roos,' zegt mama.
'Je mag wel een ijsje uit de vriezer.'
'Yes!
Daar heb ik echt zin in.'

10. Roos kan niet slapen

Het is avond.
Roos ligt in bed.
Ze draait van haar ene zij
op haar andere.
Waarom valt ze niet in slaap?
Ze is nog wel zó moe.
Op haar ene zij kijkt ze
naar het behang met spikkels.
Op haar andere zij
ziet ze haar bureau.
Knaagtandje ligt in een la.
Wat heeft ze nu aan die muis?
Hij kan niet meer voor het raam.
En ook niet bij haar in bed.
Niets heeft ze eraan.
Ze wil hem niet eens meer zien.
Voor ze naar bed ging trok ze
de la even open.
Ze wilde naar de knuffel kijken.
In haar hoofd klonk een stemmetje.
Dat riep: 'Muis! Muis!'
Gauw duwde ze de la weer dicht.

Roos gaat op haar rug liggen.
Ze doet haar ogen dicht.

Bah!
Er komt gelijk een plaatje
in haar hoofd.
Van een huilend jongetje.
Achter op de fiets van zijn moeder.

'Nee,' roept ze.
'Nee, nee, nee!'
Ze wil er niet meer aan denken.
Viel ze nu eindelijk maar in slaap!
Beneden hoort ze de klok.
Zacht telt ze de slagen.
'... acht, negen, tien.'
Tien uur al?
Bah, bah, bah!
Roos veegt langs haar ogen.
Ze zucht.
Wat moet ze doen?
Knaagtandje uit het raam gooien?
Ze schudt haar hoofd.
Straks valt hij in de tuin.
Dan ziet mama hem.
Roos gaapt.
Poe-hee, wat is ze moe.
Veel te moe om plannen te maken.
Morgen is er weer een dag.
Dat zegt mama ook altijd.

Morgen, dan...
Morgen...
Zzzzz...

11. Een goed plan

'Hallo Roos?
Zit je te dromen?'
'Huh?'
Roos kijkt verbaasd naar de juf.
Waar waren ze mee bezig?
O ja, met sommen.
'Dat is de tweede keer vandaag,' moppert juf.
'Roos is verliefd!' roept Kasper.
Roos draait zich met een ruk om.
'Dat had je gedacht.
Op jou zeker?'
Ze steekt haar tong uit naar Kasper.
Een paar kinderen lachen.
'Genoeg,' zegt juf.
'Letten jullie eens op.'
Ze draait zich om naar het bord.
Noa buigt naar Roos.
'Wat is er met jou?'
Roos pakt een papiertje.
'Zeg ik straks in de pauze,' schrijft ze.
Ondertussen blijft ze naar de juf kijken.
Ze heeft geen zin om na te blijven.

'Roos, vertel!'
Noa trekt Roos mee naar een rustig hoekje.
En dan vertelt Roos alles.
Noa luistert geduldig.
Af en toe knikt ze.
Roos zucht ervan als ze klaar is.
'Ik kon bijna niet in slaap komen.
Tjonge, wat ben ik nog moe.'
Noa haalt haar schouders op.
'Wat maak jij je druk
om zo'n knuffel.'
'Wat zou jij dan doen?'
Noa slaat haar armen over elkaar.
Ze fronst haar wenkbrauwen.
'Eh... misschien zie je dat jongetje weer?
Ze fietsen vast vaker voorbij.
Haalt zijn moeder hem van
een speelzaal op of zo?'
Roos maakt een sprongetje.
'Dat is een idee!'
'Wat?'
'Ik ga het vragen bij "Plukkebol".'
Dat is die speelzaal achter onze straat.'
'Hé, ja, dat is een goed plan.
Mag ik mee?'
'Tuurlijk.'
'Je moet jouw tekening meenemen,' zegt Noa.

'Waarom?'
De zoemer gaat.
Roos verstaat het antwoord van Noa niet.
Hoeft ook niet.
Ze snapt het al.
Noa heeft gelijk.
Het is wel zo slim
om die tekening mee te nemen.

12. Naar 'Plukkebol'

Het is tijd om naar huis te gaan.
Roos rolt haar tekening op.
Iedereen kreeg er een cijfer voor.
Zij kreeg een acht en een half!
Vlug stopt ze de rol weg.

Samen met Noa loopt ze het plein over.
'Mijn moeder komt me niet halen,' zegt Noa.
'De mijne ook niet,' zegt Roos.
'Kom, dan gaan we gauw naar "Plukkebol".'
Ze rennen de stoep over.
De hoek om.
Nog één straat verder.
Even later staan ze voor het gebouw.
'Ik zie niemand meer,' zegt Noa.
'Zouden ze al weg zijn?'
Roos voelt aan de deur.
'Hij zit niet op slot.'
Ze duwt hem open
en loopt de gang in.
Er hangt één jasje aan de kapstok.
Zou er nog een kind zijn?

'Hallo, wie zijn jullie?'
Een mevrouw loopt naar hen toe.
'Zoeken jullie iemand?'
'Eh... nee, ja,' zegt Roos.
De peuterjuf lacht.
'Wat is het nu?'
'Ja,' zegt Roos.
'Ik zoek een jongetje
die zijn knuffel kwijt is.'
'Ha, ha,' lacht de juf.
'Dat komt heel vaak voor.
Weet je zijn naam ook?'
Roos knijpt haar ogen tot spleetjes.
'Luuk of zoiets?'
'We hebben hier wel een Luca.'
'Ja, zo heette hij,' zegt Roos.
De juf zet haar handen in haar zij.
'Maar of hij een knuffel kwijt is?'
Roos kijkt sip.
'Mag ik misschien zijn nummer?'
De juf schudt haar hoofd.
'Dat kan ik niet zomaar doen.'
Roos peinst.
Wat kan ze verzinnen?
Wacht eens...
Ze pakt haar rugtas.
'Ik heb een tekening gemaakt.'

Ze rolt het papier uit.
De juf steekt haar duim op.
'Ik zie het.
Dat is Muis, de knuffel van Luca.
Wat kun jij mooi tekenen!'
'U kunt zijn moeder toch bellen?' vraagt Noa.
'Je haalt me de woorden uit de mond.
Daar dacht ik ook net aan.
Kom maar even mee.'
De juf loopt de speelzaal binnen.
'Wat leuk is het hier,' zegt Roos.
Er staat een huisje met een glijbaan.
Overal zijn speelhoeken.
Een stuk of tien stoeltjes
staan in een kring.
De juf pakt een lijst met namen.
'Luca van Dam...' zegt ze zacht.

'Kijk eens,' zegt Noa.
Ze bukt bij een knikkerbaan.
'Die had ik vroeger ook.'
Ze pakt een knikker en laat hem de baan
afrollen.
Maar Roos kijkt naar de peuterjuf.
'Is de moeder van Luca thuis?'

13. Smoesjes

'Geen gehoor,' zegt de juf.
'Ik weet wat,' zegt Noa.
Ze kijkt op van de knikkerbaan.
'Schrijf jouw adres op de tekening, Roos.'
'Dat is slim bedacht,' zegt de juf.
'Dan kunnen ze de knuffel zelf ophalen.'
'Oké,' zegt Roos.
'Hier is een pen,' zegt de juf.
'Roos Boersma, Molenweg 11,' schrijft Roos.
'Dank je wel,' zegt de juf.
'Ik zal het morgen afgeven.'
'Hoe laat is het?' vraagt Noa.
'Net half vier geweest,' zegt de juf.
'Zo laat al?
Ik moet naar huis.
Anders wordt mijn moeder ongerust.'
'Wil je haar even bellen?'
'Hoeft niet,' zegt Noa.
'Als ik opschiet ben ik zo thuis.'
De juf loopt met hen mee
naar de buitendeur.
'Wat goed van jullie.

Om zoveel moeite te doen voor een knuffel.'
Roos krijgt een kleur.
Ze moest eens weten...
'Dag, mevrouw,' zegt ze zacht.

'Ik ga, Roos,' zegt Noa.
Ze zet het op een lopen.
Roos moet de andere kant op.
Langzaam loopt ze over de stoep naar huis.
Waarom voelt ze een knoop in haar buik?
Het is zo toch opgelost?

Mama staat bij het tuinhekje te zwaaien.
'Waar bleef je zo lang, Roos?'
Oeps, wat moet ze nu zeggen?
'Eh...
Ik heb een poosje op het plein gespeeld.'
Mama schudt haar hoofd.
'Dat moet je niet te lang doen, hoor.
Dan word ik ongerust.'
Roos sjokt achter mama aan.
Nu weet ze waarom ze niet blij is.
Ze moet steeds smoesjes bedenken.
En dat voelt helemaal niet fijn!

14. Een waterval van woorden

Roos zit op haar kamer.
In haar tas zit een rekenschrift.
Ze moet haar sommen nog afmaken.
Maar daar denkt ze niet aan.
Ze denkt aan Knaagtandje.
Morgen komt de moeder van Luca.
Wat moet ze dan tegen mama zeggen?
Mama denkt dat de knuffel bij Noa is.
Ze zucht.
Zal ze alles maar eerlijk vertellen?
Ze schuift aan een la van haar bureau.
Maar...
Ze doet de andere la open.
Hé, waarom ligt Knaagtandje niet in de la?
Hij móet erin liggen.
Ze heeft hem heus niet
mee naar school genomen.

Klopklop.
Mama doet de deur open.
'Lukt het met je sommen?'

Roos draait zich met een ruk om.
'Mama, de knuffel is weg.'
'Wat?' zegt mama verbaasd.
'O ja, dat muisje.
Die zou jij toch teruggeven?
Ik vond hem vanmorgen in jouw la.
Dat is Roos vast vergeten, dacht ik.
Nou, dat kwam goed uit.
Ik heb hem afgegeven bij Noa's moeder.
Ik kwam toch langs hun huis.'
'Maar...'
Roos krijgt er een kleur van.
Wat is dit ingewikkeld.
Mama trekt haar naast zich op het bed.
Ze slaat een arm om haar heen.
'Wat wil je zeggen?'
Roos bijt op haar lip.
Ze *wíl* geen smoesjes meer bedenken.
Achter elkaar door vertelt ze.
Van het jongetje op de fiets.
En ook van de peuterspeelzaal.
Haar woorden zijn net een waterval.
'Nou, nou,' zegt mama als ze uitgepraat is.
'Dat is een lang verhaal.'
Ze woelt door Roos' haar krullen.
'Ik ben blij dat je alles eerlijk verteld hebt.'
'Ben je niet boos, mam?'

Mama schudt haar hoofd.
'Je moet me wel iets beloven.
Kun je bedenken wat?'
Roos knikt.
'Niet meer zo stiekem zijn.'
Ze slaat haar armen om mama heen.
Het nare gevoel in haar buik is helemaal weg.
'Dat wil ik ook niet meer, mam.'
'Ga je mee naar Noa?' vraagt mama.
Roos wipt van haar bed.
'Tuurlijk!
Anders staat Luca hier morgen voor noppes.'

15. Muis is van jou!

De volgende dag staat Roos
op de uitkijk.
Ze houdt Knaagtandje in haar hand.
Daar komt iemand aan
met een kindje achterop.
'Muis! Muis!'
Dat is Luca.
Roos rent naar de deur.
Ze zwaait hem open.
Vlak voor de neus van Luca
en zijn moeder.
'Hier is je muis,' zegt ze.
Luca strekt zijn armen uit.
'Muis!' gilt hij.
Hij drukt de knuffel stijf tegen zich aan.
'Muis mee,' zegt hij.
'Ja,' zegt Roos.
'Neem Muis maar mee.
Muis is van jou en niet van mij.'
De moeder van Luca geeft haar een hand.
'Dank je wel,' zegt ze.
'Wij kunnen weer rustig slapen.'

Roos lacht.
'Ik ook!'

Lees ook van Margriet de Graaf:

Logeren, olé!

Pepi woont met zijn vader en moeder in Spanje. In de vakantie hebben zijn ouders het erg druk met hun restaurant. Daarom mag Pepi bij zijn tante in Nederland logeren. Oom Antonio brengt hem met zijn vrachtauto ernaartoe. In Nederland beleeft Pepi van alles. Als zijn tante Elena 's middags even slaapt, verdwaalt Pepi met zijn step...

Met illustraties van Juliette de Wit

AVI 4, M4/E4
ISBN 978 90 266 1436 1
€ 8,50
64 blz.

Deel 2 verschijnt voorjaar 2009